POESIE VARIE

Ulisse Barbieri

© 2023 Culturea Editions

Texte et illustration de couverture : © domaine public
Edition : Culturea (Hérault, 34)
Contact : infos@culturea.fr
Retrouvez notre catalogue sur http://culturea.fr
Imprimé en Allemagne par Books on Demand
Design typographique : Derek Murphy
Layout : Reedsy (https://reedsy.com/)

Dépôt légal : janvier 2023
Tous droits réservés pour tous pays

ISBN : 9791041970971

All'Egregia Attrice

ANTONIETTA SIVORI

Mia buona amica!

In uno di quei momenti in cui la parola è sprone agli ardimenti dell'intelletto, aprendomi a Te confi-dente, a Te ricca di tante doti che rendono caro il tuo nome a chi t'ascolta; mi dicesti: fede e corag-gio!

Sante parole che sento ancora risuonarmi nell'animo, e mi danno speranza.

A Te dunque, che prima con coscienza d'artista, col trasporto d'una sorella rivestisti del tuo genio, ornasti di tua vita - la mia Noemi, - onde mi fu dolce compenso l'applauso benevolo de' miei Concit-tadini, offro questi versi.

Poveri fiori, i più dei quali inaffiò la lagrima spremuta dal dolore, sbocciati tra le squallide pareti d'un carcere, rivestiti talora d'un sorriso forse non sempre verace; li accogli ANTONIETTA!... e se pur debbono incontrare la severa analisi del critico (a cui sarò grato come ad una saggia guida), trovino anche uno sguardo pietoso, ed un eco confortevole nel tuo animo gentile.

In segno di stima ed ammirazione

ULISSE BARBIERI

CHE FANNO AL MONDO

(all'Amico ALESSANDRO M.........)

CICALATA

Diletto amico, or mo senti un'istoria

Che per diporto un dì, a narrar t'appresi:

Un rompicollo, quale io pur mi sono,

Che al certo non vuo' star co' santi in chiesa

Già ti so ben, ma questo poi non toglie

Che se leggiero di cervel, di sasso

Ti batta in petto un cor, come a certuni

Eroi della prudente opra, del detto...

Ch'anzi in versar sovra taluna piaga

Fremer ti vidi generosa bile...

È ver che tanto converria star zitti,

Perché dar fiato al vento è logorarsi

Il polmon, pari a quel che a quanto è detto,

Volea asciugar il mar con un cucchiajo

Ma dacché siamo in ballo, danziam pure,

Già tra noi lo facciamo, e ben mi rido,

S'altri poi torca il naso; e ti sovviene

L'antico adagio, che la lingua batte

U' il dente duole? or se talun s'offende

Avrò côlto nel segno... e tiriam dritto.

Che fanno al mondo?... mi chiedesti un giorno

Ammiccandomi alcuni, d'una goffa

Ricercata eleganza imbellettati,

Sfoggiatori di spilli e di cravatte,

Di paletot, gilet... Che vanno, vengono,

D'uno in altro caffè... dall'uno all'altro

Magazzino di mode, a cui sul labbro

Suonano eterni, ed in stucchevol modo

Eternamente sciocchi..., i nomi insigni

Dell'Essler, della Rich, della Taglioni,

Quali ce li dipinse il gran Parini

Col suo fino sarcasmo, e a cui s'addice

Di leoni l'epiteto emulato,

Onde a ragione il Veneziano Vate,

Bestie li disse ognor per eccellenza.

Alla strana domanda io ti risposi:

Mangiano, giran, giuocan, parlan, fumano;

Cose che come vedi assai li aggrava,

E sul libro dorato della storia

Inciderà i lor nomi... E che?... ti pare

Che sia sì picciol cosa, abbottonarsi

La zimarra onde spicchi snello il fianco?...

L'adattarsi il cappello? l'accurata

Scelta di questo o quel calzon che meglio

S'addica al genio dell'inquieta mente?...

E poi... non ti par nulla l'alternato

Pensare al come debban fugar l'ore?...

Il cinguettar tra una boccata e l'altra

Dell'Oriental prodotto, in vorticosi

Spire scomposto, a dritta ed a rovescio

Di tutto e di ciascun?... stringere i nodi

Della mente, onde trarne ricchi suoni

Delle esperte menzogne... è ver che nulla

Sapran di quanto dicono, ed ignoti

Quelli di cui sparlâr, saranno ancora.

Che importa! è disprezzar d'uopo ogni cosa

Onde parer saputi... e male o peggio

Dire d'ognun; però non starti a credere

Che vuoti sien per questo di cervello...

E' ti san dir che le più belle stoffe

Dall'Anglia o dalla Francia a noi sen vengono,

Che a Milano è sortito il figurino,

Da Paris per telegrafo trasmesso,

Perché già si sa ben che da Parigi

Le leggi den venir; che dalla poppa

Ancor non s'è spoppata la Piccina...

Sin che davver si spoppi e mostri quanto

Possa, ove del valor s'armi e del dritto.

Che un uomo d'alto grado a trenta passi,

De' sfidarsi con chi gli pesti un callo,

Che la signora B di mezzanotte

Ricevette l'amante, e la vezzosa

Signora C a dispetto del marito

Fa l'occhio dolce a Tizio... e Tizio dice

Che gli affari gli vanno a gonfie vele

Ch'è appien felice... ed è servito il gonzo

Anco se il gonzo invece il ben servito

Diè come accade a spasimante amico.

E infin tant'altre belle cosettine

Che come vedi dan molto da fare.

Al postutto essi sono gli ambulanti

Gazzettini del giorno... e tu mi chiedi

Gente cotale cosa fanno al mondo?

D'ogni sorta ven vogliono, o mio caro,

Ed è proverbio antico, che non falla.

Si ride, e si fa ridere. A te dunque

Guarda, pensa, risolvi e a collocarli

Al posto lor non durerai fatica.

Deh salvete, o sublimi! e or che ci siete

Per un sbaglio al certo, vi restate.

Mantova, Novembre 1863.

NORENI

BALLATA

Armi! armi! in man del forte

Sia la spada, od il pugnal,

Non risponda che la morte

Al nemico che si assal.

Armi! armi! O mia Noreni,

Vedi l'empio Mussulman?

Non invan su lui baleni

Il mio fido Jatagan.

Io trascorro il piano e il monte,

Tu difendi il nostro Ostel.

Su!... le ciglia a mirar pronte,

Bella!... impugna il tuo coltel.

Già corruscano gli acciari,

Già di sangue fuma il pian,

Su!... slanciamoci del pari

O mio fido Jatagan!...

Sì, disse: e balzato sul dorso al corsiero

Fra un nembo di polve si slancia, e dispar;

E a lei che lo segue pel torto sentiero

Rassembra una vela perduta nel mar.

Più nulla si scorge, ma in cor gli rimbomba

L'estrema parola che il labbro parlò.

È vile chi trema fra l'onta e la tomba!

È vile chi al grido di Patria mancò!

Vola! Vola! mio fido Morello!...

Su!... mi porta ove ferve la mischia!...

Ecco! vedi l'orrendo macello?

Ve' la palla che accanto mi fischia,

Ve' il nitrito di cento cavalli,

E il lamento del gramo che muor.

S'alza un suon dalle amene convalli,

Dio, Patria e un altar han nel cor.

Montenegro!... Maometto! ... i due gridi

Con un urlo di rabbia feroce,

Si distendon per barbari lidi,

Cozza il ferro, si perde la voce,

E com'ombra tra il lampo ed il tuono

Degl'ignivomi bronzi, talor

Allegrato al terribile suono

Passa il forte sul suo corridor.

Noreni, aspetta: già la notte scende

Di procella foriera, e mugge il vento

Che per l'immenso piano si distende.

Mentre l'Upupa in tuono di lamento

Il mesto strido innalza a cui risponde

Talora il cupo mormorar dell'onda.

È cessata la zuffa, eppur funèbre

Regna un silenzio che t'agghiaccia il cor,

E in mezzo a quelle cupe, alte tenèbre

Veglia Noreni presso un uom che muor.

Un tuo bacio, o mia diletta!...

Anco un altro... estremo ei sia.

T'ho fremente al seno stretta,

T'ha chiamata il labbro, mia!

La tua lagrima sincera

Sulla guancia mi scendè,

Sorvenuta è la mia sera,

Un mattin sarò con te.

A me dolce è questo letto,

Che mi cinge al crin la palma,

Ei sancisce un santo affetto

Onde altera andò quest'alma,

Né mi mesce collo sciame

Che fra il gaudio può scordar,

Che una voce grida infame

Chi calpesta il patrio altar!...

Ei più non disse: al sussultante petto

Noreni lo serrò. Le torve luci

Nelle immote di lui, fisse, baciollo;

E delirante quasi agli atti, al volto,

Più e più volte dal suol levollo, e lento

Il depose, dippoi sovra l'esangue

Spoglia curvossi, le pallide labbra

Bisbigliar rotti accenti. (Oh quai si furo...)

Formolli amore, e gli erano tributo.

Poi si rizzò. Dalle avvampanti ciglia

Guizzò un balen, alzò la fronte al cielo

E sparve. Bella intanto sorridea,

La notte, e in armonioso accordo, liete

Carolavan le stelle. Un'aura lene

Incalzava pei vasti aerei campi

Qualche errabonda nube, e somigliante

Al sospiro amoroso di due cuori

Nel casto bacio dell'estremo addio.

In fra le fronde del vetusto pino

Sussurrava, ove il passero discioglie

L'armoniosa nota e par saluti

Il sorridente sorger dell'aurora.

Ma qual grido d'intorno s'eleva?

Passa un'ombra... l'inseguono mille,

Quai dal cener rideste faville

Splendon brandi, s'accalcan guerrier.

Morte! morte! vendetta! a cavallo!

In disordin s'accozzan tai detti,

E lo scoppio di cento moschetti

Iterato risponde a quel suon.

Turbinosa una turba, s'avventa

Dietro un'ombra che innanzi le va;

Né quel grido di morte paventa,

Che nel cor santa fede gli sta!...

Lo scalpito cessa dell'ugne frementi,

S'arrestan sbuffando cavalli e guerrier,

Innanzi a lor sguardi feroci ed intenti

Quell'ombra disparve, né più san veder...

Ma sorge un tugurio, nel fondo al sentiero

Che corser veloci seguendola ognor

E a lato alla soglia, un teschio, un cimiero

Infitto ad un'asta presentasi a lor.

Un urlo di rabbia dai petti s'emette,

Sia tratta l'infame! sia tratta a morir!

Che scorgon trofeo di giusta vendetta

La testa recisa dell'empio Visir.

Dai vili ladroni già violasi il tetto,

Già fremono sangue que' barbari artigli,

Ah, no! Ma non fia che liberi figli

Di libero suolo, s'insultin da lor!...

Innanzi ai lor passi gigante barriera

Con furia crescente la fiamma s'innalza,

L'investe la brezza, più serpe ed incalza,

Divora il tugurio che scroscia e dispar.

E in mezzo alle mille sue lingue struggenti

Noreni comparve, sorrise e spirò.

E martire altera, maestra alle genti,

Siccome s'attenga una fede! insegnò.

RIMEMBRANZE

UN SOGNO

Già di fitte tenèbre si copriva

Il Cielo e belli di lor calma luce

Sfavillavano gli astri. Armonizzava

Il Creato una santa melodia

D'amore, e il dolce mormorio dell'aura,

Dell'usignuol la nota mestamente

Cara spingea la mente involontaria

A svolger quelle pure aspirazioni

Senza cui non è vita. Allor le molli

Pupille chiuse al sonno, ed il pensiero

Tacque. Ma non col sonno accavalcarsi

Immagini ad immagine. Una, sola

Bella, radiante, sfolgorommi innanzi

Nella magica possa ond'ella adorna

Prima mostrossi alle abbagliate ciglia

Il primo dì che in lei lo sguardo io fissi,

E da quel guardo mi discese al core

Un'arcana dolcezza, una febbrile

Ansia di lunghi rapimenti, il dolce

Vagheggiar d'una speme, onde si mesce

Il dolore e la gioja, e tutto è bello,

Anche la morte quando fia divisa;

Fu sogno il mio?... tanto almen protrarsi

Possa che la mia stanca anima trovi

Un istante di calma, e una dolce ora

Di delirio l'allieti. Tutto fugge

Innanzi all'uomo, e sono ahi! ben caduche!

Le gioie che ne screziano il cammino!...

Oh! angelica sembianza che fra il sogno

Nell'ebbrezza profonda d'un istante,

Tanto m'hai gioja quì nel core infusa,

Che mesta senza te la vita scorre...

Deh! a me non t'invola aereo spirto

Dimmi! deh... dimmi ove cercar ti debbo!...

Col guardo intento e d'un'arcana speme

Animato pur sempre, in ogni stella

M'affisserò che ad ogni canto, a ogni aura

Che l'orecchio mi sfiori, la tua voce

Cara e gentil, come armonia divina

Persuaderammi l'alma, e dell'Eliso

Non avrò invidia se tu meco in terra

Dividerai la mia grama esistenza!...

D'amor, lo credi, ha d'uopo ogni Poeta.

Oh! perché sgorghi altiero, o lieto il canto

Dalle sue labbra trepidanti sempre,

Perché il pianto ed il gemito raccolga

E l'infame tripudio della colpa,

E in faccia al mondo l'indignato scagli

O il tremebondo accento, ognor d'un cuore

Ardente e casto che col suo s'unisca

Egli ha d'uopo: d'un cor che lo comprende!...

D'un sorriso ove possa inebbriarsi,

E d'una mano che la sua riarsa

Or dall'ira talor resa tremante

D'alta pietà gli stringa, e sul suo seno

Riposi ancor lo stanco capo, dove

Tanta ferve d'immagini convulsa

Continua lotta!... Ei non sarà mai grande

Tanto siccome allor ch'egli alla donna

Ch'elesse inspiratrice de' suoi Canti

Dirà fremendo nel fervor d'un bacio:

A te... a te sola tutta la mia gloria!...

Di quanti beni sol fabbro è l'eterno

Il tuo amore vogl'io, e s'anco l'uomo

Tutto il livor sopra di me scagliasse

Il tuo amore mi basta!... Co' miei Canti

Qui, nel mio cor vivrai eternamente!...

Separati dal mondo, ne fia mondo

Il nostro affetto sol, quanto ci attornia

Sol d'amor ne favelli, ed ei ne tessa

Un eterno concento... Ancor sul labbro

Mormorava la supplice parola...

Sull'ingenuo sembiante si diffuse

Un soave sorriso, troppo bello

Per esser mortale, promettente

Di troppo cara speme per durare

Più d'un istante, e quell'istante volse!...

Tesi le braccia con supremo sforzo,

Di luce un raggio mi colpì le ciglia,

Era luce comun, raggio di sole!...

Ma dell'anima il raggio... era sparito.

ERA BELLA!

Del pallor della morte.

Era bella!... vibrava il fiammeggiante

Raggiar della pupilla, indefinita

Voluttà, era comparso nel fidente

Abbandono d'un cor che nell'ingenuo

Slancio s'ingolfa nel sentier fatale

Della vita, un arcano rapimento,

Che mentre l'invitava all'innocente

Concambio del sorriso, a mezzo il labbro

Troncava il detto che d'impuro senso

Fosse insulto al candor, onde sì bella

Fulge la donna innanzi al guardo amante.

Era in essa un non so che di divino...

E quando al riso si schiudean le labbra

O sgorgavan dal cor gli ardenti Carmi,

Quasi un'immago che un abbaglio crea,

Della mente il sconvolto avvicendarsi,

Fora allo sguardo. Riflettea la fronte

La scintilla del genio... Ardean le luci

La fiamma del pensiero, e fea risalto

Al pallor del bel viso, il nereggiante

Ampio volume delle lunga chioma,

Se quanto sogna di casta la mente,

Quanti attraggono i cor nobili pregi

Quanto all'omaggio delle genti ha dritto,

Virtù, genio, bontade, il fiducioso

Orgoglio di sè stessa, e il puerile

Abbandono di sè, quanto s'accoglie

Nella dolce espressione d'un sembiante

Dirsi bello si puote; Essa era bella!...

UN SOSPIRO

IMITAZIONE

ROMANZA

I.

Un giorno a lei pensando io me ne stava

Al dolce rezzo d'un mesto viale,

Una farfalla che di là passava,

Di fiore, in fiore, si librò sull'ale.

O vispa farfalletta a che t'aggiri,

Nell'inquieto vagar, t'arresta alfine,

Né il detto mio verso di me t'adiri,

Che dalla speme sento in cor le spine.

Pegno a me caro e sì da me indiviso

Che non travolga il tempo nell'obblio,

Una canzone, un bacio ed un sorriso

Ella mi diè nel darmi il mesto addio.

La cerca o farfalletta... e se t'avvenga

Incontrarti nel suo leggiadro viso,

Dille che l'amo sempre, e si sovvenga

Della canzon, del bacio e del sorriso...

II.

Ti vidi: seduta - tu meco d'accanto

Sentiva il tepore - del caro respir,

Udiva la voce - diletta cotanto,

Guardava, ed al guardo - seguiva un sospir...

Con dolce abbandono - la man mi stringesti.

Tremò quella mano - sorrisi, e sperai;

Di quella speranza - che muore giammai!...

Perché se un delirio - pur anco ella fosse

Il sperderlo troppo - sarebbe crudel!...

Oh! perché dire al misero

Menzogna è la tua fede,

Quando in un'ombra ingenuo

Fissa le luci e crede?...

Deh! lascia almeno al vergine

Pensier la prima e cara

Gioja, che poscia avara

La sorte sperderà.

Te ricercar l'armonica

Nota leggiadra e mesta,

Vidi seduta al cembalo

E dal tuo duol, funesta

Nube i bei sogni avvolsemi

Onde beveva un'onda,

L'estasi sì profonda

Che non dovea morir.

III.

Nel delirio febril della mia mente

Che turbinoso ardente,

Di mille larve s'informava, il guardo

Volsi d'intorno appena il pie' calcai

Sulla diletta soglia, e gli ansii rai

Non ti trovar perché cercarti appunto

Ansii troppo solean. Alfin ti vidi,

Ti porsi un fior, poi quai passaron l'ore

Onde muto, te muta ognor fissando

Mi stetti, il divo core

Che dal palpito suo misura amore.

Insiem danzammo, il tuo respiro al mio

Per un istante si confuse

E nell'alma sentii tutte trasfuse

Quelle gioje onde i nati della terra

Deliran, disperando

Ed hanno vita amando.

Che più voler d'uno scambiato riso,

D'un lungo guardo sul tuo volto fiso,

Onde l'alma si bea?... te nell'inquieto

Vagar vezzoso inoltre a chi ti cerca

Fulgere e poi sparir come la stella

Che nel gajo oscillar si fa più bella,

Seguii, mentre l'applauso impazïente

Di coronar tuoi merti

Fremeva, e in cor quei varj sensi tutti

E d'un sol, potente,

Aggiunti io ben sentiva

Nel trasporto gentil che non mentiva.

Dimentico d'ognuno e nell'ebbrezza

D'un sol pensiero assorto

Come il fior virginal che non olezza

Fuorché nel paradiso accanto a Dio,

Così appresso a te anch'io

Non increscioso l'alito fugace

Dell'esistenza spero,

Ed ogni gioja dentro il cor mi tace

Se d'una illusïon pia, non mi venga,

In te riflessa, e di cui tu sia vita,

Siccome fior che volge l'appassita

Sua fronda al suol se da tiranna mano

Una stretta d'amor chiedesse invano.

Uscimmo; bella risplendea nel cielo

Fecondatrice di gentili sensi,

La Luna: Tu la contemplavi, ed io

La guardava con te, mentre l'anelo

Core, a un pensier che arcano ti fervea

Nell'alma sorridea,

Di quell'indefinibile sorriso

Che a sè stesso risponde, eppur risposta

All'inchiesta non ha. Pur n'avea d'onde!

Sentiva il dolce peso del tuo braccio

Sul mio posar, alla tua voce fea

Risposta la tua voce; e mi molcea

Le fibre arcana voluttade. O lieti

Fantasmi della mente, s'anco fosse

Menzogna il vostro dir, deh! non sperdete

Da me l'ultima fronda della speme,

Onde pietosi i mali miei molcete.

IV

Un fior mi desti io lo posai sul core.

Come pietosa madre il bimbo culla

E gli sorride d'infinito amore

Io lo guardava e tal gli sorridea

D'un sorriso d'amore, e s'intrecciava

Di soavi pensieri una ghirlanda

Nella convulsa mente, onde aspirava

L'alma del grato effluvio, altro e più puro

Olezzo, onde s'abbella un altro fiore

Che in ciel spiccò la man celeste, prima

E' fe dono al mortal, il fior d'amore.

UN SOSPIRO

FANTASIA

Ecco già della notte il negro manto

Sul Creato si stende, e l'assopita

Famiglia che di sè fa altera pompa

Sotto l'astro diurno, e sfavillante

Mostra le ricche sue messi fiorite,

Nel funereo lenzuolo della notte

Tutta s'avvolge e calma si riposa

Per sorgere il diman più lieta e bella.

Più lieta e bella!.. Ahi! l'innocente pure

S'addormì tante volte, e col domani

Quanto era vita del pensier disparve!

Fragile troppo è la volubil ruota

Onde la gioja intorno a sè folleggia;

E dal riso al dolore è breve il tratto.

Sperde un istante solo il caro frutto

D'assidua lena, il fanciullin che ride

Pensa più adulto, e piange, e a quello impreca

Che jeri accarezzò. Di quanto male

Un sol istante è causa!... Un'ora d'odio,

Un momento di fede, un dì d'amore

Del disinganno nei dischiusi gorghi

Le pie menzogne della vita avvolge,

Tutto distrugge, e lo sparito raggio

Che l'anima allegrò più non ritorna.

Giorni felici della prima etade

Oh perché mai sì rapidi scorreste?

Allora ch'io leggiadro fanciulletto

Al soave spirar d'amica brezza

Sovra la tiepid'erba saltellante

Che di mille color smaltava i prati,

Con ingenuo sorriso, al ciel volgendo

L'attonite pupille, arcana voce

Mi scendeva nel core, e il labbro muto

Una prece scioglieva, ed avea fede!...

Ahi!... Mi s'offriva al guardo il variopinto

Fiore, che inaffia la rugiada, ingemma

Il sol nascente, e al molle aere affida

Il suo fragrante olezzo. M'era ignoto

Allor che la cicuta e le ben mille

Altre piante venefiche i lor fiori

Hanno pur elle, e bella mostra al guardo

Fanno siccome spesso l'apparenza

Vela l'abisso dell'umano core.

Allor che volteggiava gorgheggiando

Negli spazj l'allodola, e da mite

Auretta scosse eran le fronde; lieto

Io sorrideva, e dell'augello il canto,

Il mormorare del ruscel, nell'alma

Mi scendeva siccome un'armoniosa

Nota d'amor che del creato intessa

La catena sublime al guardo offerta.

Ma non sapeva allor che si converte

In torbido aquilon la mite brezza,

Che il rio mormoreggiante della valle

Al margine fangoso, ed alle falde

D'un clivo; al fiume, indi da quello al mare

Mette per varie vie, sì che s'affaccia

Imponente allo sguardo, e il marinajo

A sfidarlo s'avezza. Tale ovunque

È il contrasto fatale della vita,

Che ridente incomincia e sol d'affanni

Apportatrice nel suo corso incede.

Oh perché mai dal nulla s'evocaro

Simulacri giganti, e dal delirio

Delle menti sacrati, fieramente

Sovra il lor piedestallo si rizzaro,

A cui dinanzi l'uom prostrossi: e cieco

A stolte larve, ed a strani capricci

Diede nome di leggi! E scogli eterni

Contro cui sanguinante il cor si frange,

Stanno; Ministre di giustizia, forse...

Ma in che mi addentro mai?... e il sogno ardente

Sull'ali d'altro sogno mi trasporta?...

Di fede, di virtù, perché ragiono?

Di pace, di candor che vo sperando

Ove l'uomo comanda e sull'altr'uomo,

Frate e fratel non più, ma servo e prence

Tende la destra, e con un pie' lo calca

Nel fango donde ei pur sortìa la vita?...

Muta incede la notte e sovra i capi

Che nel sonno riposan; sol riposo

Dato al mortale nel feral tragitto

Del rabido Oceàn che vita ha nome,

Mille gemme scintillan sorridenti

E percorron gli spazj; quali immote

Adornano la volta portentosa

Che alla mente nasconde il suo segreto,

E dal travaglio stanco del pensiero

Anch'io mi v'addormento. Realtade

Colle sue cupe immagini dal guardo

Fugge veloce, ed alla mente brilla

Il leggiadro mattino della vita,

Quelle care menzogne onde s'intesse

Di vergini illusioni il primo sogno

Del pensiero, ove lieto si trastulla

Quando scorda il passato, nel presente

S'immerge baldanzoso, e del futuro

Disprezza i misteriosi avvolgimenti.

Addio dolci e soavi rimembranze,

Iridi belle, che al pensier fulgeste

Brillanti d'una speme... Addio sublimi

Delirii d'amore. Oh, troppo presto

Da me fuggiste!... Or che mi resta?... Invano

Giro lo sguardo a me d'intorno... Invano

Scruto dentro quest'alma arida e fredda,

Penso, fremendo; d'un sorriso amaro,

Che sorriso non è, me stesso guato.

Creder vorrei... Ma nelle spire atroci

Del disinganno soffocata muore

La fede, e il grido che festante spunta

Sulle labbra, converto in un singulto

All'aere affida la febbrile nota.

Mantova, Dicembre 1863.

UNO SGUARDO A CASTELLARO

ODE

Salve terren fatidico

Che libero scorreva,

Quando serena l'anima

Nell'avvenir tendeva,

Ed allo sguardo estatico

Un sogno era la vita,

Un'ombra che fuggita

Svelommi il triste error.

Da quest'angusto carcere

Ove m'è sol compagno

De' ceppi il suono lugubre,

Dell'infelice il lagno,

O l'incitato anelito,

Lo spiro faticoso,

O il gemito angoscioso

Che rompe il cupo orror,

Sacra vieppiù dal tribolo

La voce mia s'innalza,

Pari alla nave intrepida

Che se più il vento incalza

Più disprezzando il turbine

Tocca alla fin la sponda

Tra il fremito dell'onda

Che le contende invan.

Quei nodi cerca infrangere

Onde la grava il forte,

Passa lo spazio e libera

Schernendo l'aspra sorte,

Vola a quei gaudii ingenui,

Alle illusion fallaci,

A quei desiri audaci,

Che forse torneran!...

Oh son pur dolci al misero

Le rimembranze amate,

Esse che al pensier vergine

Furono un dì strappate,

E colà dove l'anima

Vedeva un roseo fiore

Degli uomini il livore,

L'iniquità scoprì.

Oh, quando mesto chiudesi

Sovra il guanciale il ciglio,

Quando fra sogni trepidi

Sul duro mio giaciglio

Dibattomi, e trascorrere

Veggo lontan la mente,

Or sovra un dì nascente

O a quello che sparì;

Vive di mille palpiti

Il core in quell'istante,

Della speranza il fremito

S'eleva in lui gigante,

Sino che all'ansia indomita

Ond'ha il pensier fomento

Mi desto: e sul momento

Ogni illusion scompar.

In un confuso mescersi

Di mille smanie atroci,

Sento nel petto il sonito

Delle svariate voci

Che alla memoria tornano

Gioje, timori, affanni,

La speme e i disinganni

Che l'ora e il dì formar.

In quella muta tenebra

Penso: e una mesta calma

Tra le passate immagini

Va ricercando l'alma,

Quando il dolore inconscio

Era alla gaja mente

Quando nel sol morente

Guardava l'avvenir.

Alle tue piaggie fermasi

Come al più dolce amico,

Volge il sospiro l'esule

Che vive in suol nemico,

E a te con ansia trepida

Manda il suo mesto viva

La lagrima furtiva

Spremuta dal desir.

Quando giulivo l'agile

Piè sul tuo vial calcava

E sotto l'ombra placida

Del tuo Castel posava,

Il sol che bello ornavati

Tra l'edera romita

La speme mia blandita

A meditar trovò.

E al quadro incomprensibile

Di quel contrasto strano

L'ora, al passato, giungere

Cercò la mente invano,

Che se parlavan lugubri

Que' suoi scomposti avanzi,

Avea la gloria innanzi

Che un giorno il coronò.

Gloria che il fato sperdere

Volle da questo cielo,

Cui, il fervente spirito

Guarda; e ristassi anelo,

Chè fulger vede un'iride

Nella nascente aurora,

Sente una voca ?? ancora

Tuonargli - non morì!...

Salvete!... O lieti crocchii,

Lievi solazzi, o danze!...

O dolce tua concordia,

O vergini esultanze,

Cari piaceri agricoli,

Baldi e leali amici,

Con cui sempre felici,

Scorsi e tranquilli i dì.

Oh!... quando l'ampia sorgere

Veggo ridente aurora,

E l'astro altero e vivido

Che le tue piagge irrora,

Spander focosi radii

Sulle tue verdi zolle

Ove il piacer s'estolle

In mezzo del terror,

O gl'infiniti spazj

Ingombra un fosco velo,

Allor che scroscia il fulmine

O che il vernale gelo

Brilla sui campi, e l'esile

Copre gentil virgulto,

O il nembo sperde inulto

Le messi tue, tuoi fior,

Sempre sei bella o libera

Stanza di cari affetti!...

Tu che vedesti i teneri

E primi miei diletti,

Ove i miei giorni scorsero

Quando fidente il core,

Credea che nel dolore

Fosser fratelli ancor.

Dalla Giudecca, Ottobre 1861.

GLI AMICI

Come leggera polvere

Allo spirar del vento

Va vorticosa all'aere

In cento forme e cento,

O trabalzando aggirasi

Sul clivo e scorre al pian,

O ad altri lidi l'esile

Polve vi fa soggiorno

Sino che un altro turbine

Costringala al ritorno,

O i lidi più reconditi

Tocchi dell'Oceàn.

E così, mentre lugubre

Velo il dolor distende,

E gli incitati palpiti

Truce e feral sospende,

Tal che la vita ammorzasi

Ne' pria ridenti cor,

Allor che d'una lagrima,

S'irriga il mesto ciglio,

Quando serrata l'anima

Ha duopo di consiglio,

E trafelata, debole,

Cerca uno sguardo; allor

Rapidi si disperdono

Tutti i fidati amici

Ei che succhiaro il nettare

De' giorni suoi felici,

O gli tributan sterile

Voce mentita ognor.

Perché nel vile mescersi

Di mille colpe atroci,

Della pietà le nobili

Muoion schernite voci,

Perché si vuol sconoscere

Che non si vuol seguir.

Perché se avesse il gemito

Dell'infortunio un moto

Da suscitar nei cupidi

Petti, alcun senso ignoto;

Del suo destin tra i vortici

Non si vedria languir,

Ei che seppur colpevole

È al suo fratel, fratello,

E del traviato il misero

Capo, sul nodo avello,

Non poseria dimentico,

Senza una prece e un fior.

Non chiederia la vedova

All'egoismo un tozzo,

Né la tradita vergine

Confusa col singhiozzo

La vana voce emettere

S'udrebbe al seduttor.

Non sulla strada il povero

Dal freddo assiderato,

O dentro al fango lubrico

Gemente e disperato,

La lenta man protendere

Che l'uomo non guardò.

Ne il bambinel sul tumido

Pianger materno seno,

Che dalla fame l'orrido

Sente fatal veleno

Dentro quel cor che il battito

Appena incominciò.

Pura amistà, deh!... rianima

La sconosciuta fede,

Bella, radiante, vivida

Poni l'altera sede

Là dove torni a vivere

Quanto spregiossi ognor.

Tu dal letargo suscita

Gli addormentati sensi,

Non più abbrutita l'anima

Offra vigliacchi incensi,

Sieno leali gli odii

Leale sia l'amor.

Dalla Giudecca, Aprile 1862.

IL MIO IDEALE

Raggio divin, fatidico,

Onde il mio core ha vita,

Da cui supremo ha un palpito

Quest'anima rapita

Nel tuo sorriso ingenuo

Fulgi dinanzi a me.

Non vo' di gemme splendida

La tua leggiadra chioma.

Neppur quel turpe fremito

Che voluttà si noma,

Ma sol d'amore un'estasi

Ch'abbia d'amor mercè.

Anche la fiamma spegnesi

Quando la brezza tace,

Manda un baglior dal cenere

E come morta giace,

Se le scintille tremule

Dal vento non s'aizzar.

Faro che il guardo trepido

Attira del nocchiero

E fra le cupe tenebre

Additagli il sentiero

Che dai sconvolti turbini

Salvo lo può guidar,

Fulgi tu a me nel dubbio

Senso che il cor m'invade,

Fa che ti possa scorgere

Angiolo di pietade,

Tendi la mano al misero

Io t'ergerò un altar! ...

Ahi!... che piangendo cercoti!...

Invan scorrendo spazi

La fantasia si svincola,

Che sol rinviene strazi,

Onde più mesta tacesi,

Illanguidisce e muor.

Forse ancor tu nel roseo

Abisso che dischiude

Fra le carole dubbie,

La vittima che illude

La menzognera insania

D'un stuolo ingannator,

Sparisti, e già nel trivïo

Gemi avvilita e impura,

Obliando stolta, e misera,

Divina creatura

Che di più eletto spirito

T'aveva adorna il ciel!...

Forse senz'una lagrima

Fra il numero dei tanti

Che perché puri e poveri

Muoiono non compianti,

Per te adorata vergine

Si schiuse il cupo avel?...

E nel sorriso angelico

Dell'occhio tuo sereno,

Priva d'un cor che tenero

Ti comprimesse al seno,

Chiudesti la tua povera

Vita, anelando al ciel.

Eppur ti cerco o magica,

Opra di Dio primiera,

A cui già scioglie l'anima

Fidente una preghiera,

Che senza te l'esistere

Insopportabil m'è.

La sensazione mistica

Del più fervente amore,

Le vibrazioni energiche

D'entusiastato core,

Prova mi son che immagine

Vana non sei per me.

Nel sol che investe fulgido

Tutto l'inter creato,

Veggo il sorriso e l'anima

Di quell'oggetto amato,

Che senza ancor comprendere

Bramo sol mia mercè.

Quando nel cielo scorrere

La bianca nuvoletta,

Veggo solinga e rapida,

Che dentro lei rifletta

I bei color dell'iride

Onde l'abbella il sol,

Vi raffiguro immagine

Di lei da cui traspara,

Il sentimento nobile

Onde sì bella e cara

Al mio pensiero pingesi,

E il canto d'usignuol,

Nell'aer che sfiorandomi

Colla serale brezza,

Un'armonia profetica

Mi parla ed accarezza,

L'udito, a cui fa giungere

Note di pio dolor.

La voce tua che simile

A quella mi gorgheggia

Ebbro d'amore un cantico

Che l'anima serpeggia

E mi predice tenera

Una speranza ancor.

Dalla Giudecca, Aprile 1862.

APOSTROFE

In ricorrenza dell'onomastico della Signora CAROLINA NOBIS,

declamata dalla figlia adottiva.

Oh, se dall'ime latebre

Fosse al pensier concesso

Svolger quei dolci fremiti

Ond'è il mio petto oppresso,

Vorrei che il canto nunzïo

Di fe', di gioja e amor

Ti sorridesse affabile,

Come sorride il cor.

Madre!... quest'ineffabile

Voce nel cor mi scende,

Come un preludio mistico

Che ad alti sensi intende,

E quel ch'io vorrei porgerti

Dono, in sì fausto dì,

Il voto sia che ingenuo

Perenne ti seguì.

M'ama, qual t'amo... il timido

Piè tu guidasti infante,

Tu rispondesti al gemito

Dell'animo anelante,

E nello slancio vergine

Insiem confusi ognor,

Ei che la vita dieronmi

E chi mi stringe al cor.

M'ama: al mio grido trepido

Sempre il tuo amor risponda,

Spargi soave il balsamo

Sull'alma sitibonda,

Che se una mesta lagrima

Sul ciglio un giorno avrò,

Non altra mano a tergerla

Fuor che la tua vorrò.

Mantova, 1863.

IL PRIGIONIERO

LAMENTO

O figlia della notte

Bell'astro peregrino

Che sorgi colla sera

Svanendo col mattino,

Che sosti a me dinnante

Pietosa apportatrice

D'un tenero saluto

Che mandi all'infelice,

Nel rapido cammino

Ti segua il mio pensiero,

Teco trasporta il vale

Del gramo prigioniero,

Arreca deh! la calma

A questo cor traviato,

Dolce memoria scendere

Fantasima ideato,

Ti piaccia al tuo ritorno

Innanzi al mio cancel,

Un'aura di speranza

Lasciarvi non crudel.

Salve o diletta!... Visita...

Per me, le mie pendici,

Rammentami i colloquii

De' sospirati amici...

L'ore fuggite in vergini

Pii vaneggiamenti,

Ed il sospiro trepido

Dei dolci rapimenti,

Quando sognava l'estasi

Fidente nell'amor,

Quando del primo palpito

Mi palpitava il cor!...

Quando il materno bacio,

Tranquillo mi destava,

Ed un sorriso affabile

Sovra il mio labbro errava.

Ti specchia nelle mobili

Onde del patrio lago

Ove leggiadra tremola

La tua fedele immago.

Saluta tu la nugola

Che in meste fantasie

I' riguardava estatico

E nobili bugie

M'eran parlate all'anima

Quando impaziente e altero,

Seguiva col pensiero

Gl'impeti del mio cor.

Addio... Deh!... scendi tacita

Vision sul mio guanciale

E d'una speme allegrisi

Questo mio duol letale.

Raccogli tu la lagrima

Che dal mio ciglio elice,

E agli empj maledice

Che imposero il dolor.

Dalla Giudecca, Ottobre 1861

PADRE!

ODE

Oh, quando l'alma espandere,

I sensi suoi desira,

Quando veemente il palpito

Dalle sue fibbre spira,

Ed ebbro il cor d'innumeri

E care rimembranze

Le tenere speranze

Vagheggia e in esse ha fè,

Dove potrà men libera

I suoi bollenti affetti

Versar nel seno provvido

Da cui non sien rejetti,

E nell'accento unissono

Del più fervente amore

Ricever del dolore

Più bella la mercè?

Con chi le luci schiusegli,

Pianger, gioir, sperare,

Insiem le preci mescere,

Con quello delirare,

Se l'anelato gaudio,

Onde la vita ride,

Al fianco non s'asside

Di chi lo cerca invan?

Quando a' suoi figli teneri

Sorregge il debol passo,

Quando in carole affabili,

Ei dalle veglie lasso

Giocarellando, gl'esili

Alza lor corpi e posa

Con vece più affannosa

Nelle materne man.

Poscia più adulti a nobili

Sensi, dispone i cori,

Un avvenir procuragli

Che base ha i suoi sudori,

Quando che l'oro o l'obolo

Con indefessa lena,

Parte con essi, e frena

L'alme che incita a amar

Nullo per lui di vivere

Gode, pei figli solo,

Per quei che lo compensano

Forse con crudo duolo,

E agli infiniti triboli

Cui frutto è l'esser loro,

Con un feral martoro

Rispondongli talor!...

Deh!... non ti stanchi il lugubre

Fato che sì t'incalza,

Quando più rugge il turbine,

L'ardire, l'opra innalza.

È santo inarrivabile

L'amor che a petto al male

Nell'infierir fatale

Rimane saldo ognor.

Soffri; è caro all'anima

Anche il soffrir, pel bene!...

Quando che il cor non mescesi

Alle comuni mene,

Sente che in sè v'ha spirito

Cui dà l'Eterno aita,

E lascierà la vita,

Senza rimorsi allor.

Mantova, 1863

MADRE!

Come dolce sul labbro risuona,

Come cara favella al meschino

La parola che ben si comprende

Fra l'ambasce d'un crudo destino.

Con quale ansia, il pensiero ricorre,

Peregrino cercando un oggetto,

Che dal core un sol palpito ottenga,

La memoria d'un tenero affetto.

Le carole, le preci, gli accenti,

I materni irrequieti sospiri,

I suoi trepidi, arcani spaventi,

D'una mente amorosa i deliri,

Tutto che le rammenta il passato

D'onde tragge qualch'ora di gioja,

Che benefica scende ed allieta

De' suoi giorni l'orribile noja.

Come addormesi in dolci profumi

Dell'Oriente l'ozioso signor,

S'assopisce l'afflitto garzone

Su quel seno sol fonte d'amor,

Una lagrima ad esso è tesoro,

È linguaggio che il core comprende,

Un sorriso è divina armonia,

Che sul miser, s'allarga e distende.

Di quel labbro un accento fugace,

Sol conforto è de' grami suoi dì,

Puro raggio, rugiada celeste,

Ch'io pur scôrsi, travvidi e sparì.

Oh, felice chi ha pur nel dolore,

Una madre che un bacio gli doni,

E scordando le pene sofferte,

Con magnanimo affetto perdoni.

Dalla Giudecca, Giugno 1861.

IL PRIMO BACIO

Oh, qual febbrile tremito,

D'incomparata ebbrezza,

Tutta m'invase l'anima

D'incognita dolcezza,

Quando quel labbro roseo

Sulla mia gota ardente,

Primo, lasciovvi il magico

Tocco d'un bacio, e mente

E cor travolse il turbine

Di quella gioja estrema,

Gioja che non si scema,

Che della vita al par!...

Oh qual ti vidi, angelica

Face della mia vita,

Bella, radiante, tenera,

Nel sogno suo rapita

L'alma, pensò che vincoli

Non son tra core e core,

Che onnipossente indomita,

Regna dovunque amore,

Che... Oh, ma nel frenetico

Trasporto d'un amplesso

Forse non è concesso

Tutto scordare insiem!...

Quando la guancia il tiepido

Vital calore effonde

Su guancia amica, e l'esile

Respiro si confonde

Tal, che gli sguardi incontransi

Nell'estasi beata

Che in sè travolge il palpito

Dell'anima agitata,

Quando convulsa stringesi

La destra, il sen sul seno

Batte, chi puote un freno,

Stolto, segnare allor?...

Nel turbinoso vortice

De' mille sogni miei

Ti vidi amica immagine

Bella qual sempre sei!...

Ancor sentii nell'impeto

Del mio bollor fervente

Serper le labbra tumide

Il bacio tuo cocente,

Tal che scordando i triboli

Sotto cui giaccio affranto,

Trovo felice un canto

Che mi divora il cor!

Io non invidio agli angeli

Le gioje dell'eliso,

Se ad un mio sguardo tenero

Risponde il tuo sorriso,

Io t'amerò com'amasi

Scevri da lezzo umano...

Sol mi sia dato stringere

La tua leggiadra mano,

Non chiederò che coprasi

La fronte di rossore,

Mi basterà un amore,

Come non basta all'uom.

Milano, Agosto 1862.

All'Egregia

SIGNORA CONTESSA M.......

In cielo allor che fulgono

Le carolanti stelle,

E la pupilla attonita,

Muta s'affisa in quelle,

Mentre dall'alma espandesi

Un dolce rapimento

E di ridenti immagini

S'adorna il firmamento,

Che ratte spajon, sorgono

Col volo del pensier;

Dal cor s'eleva un palpito

A quella scena innante:

Ma se nel lucid'etere

Con guizzo irradïante

Infra gli spazj slanciasi

Un di que' fatui fuochi

Quasi innocenti giuochi

Sien dell'Eterno Ver,

Allora è un caldo fremito

Che dal pensiero ardente

Si slancia alle inscrutabili

Opre dell'alta mente,

Ed a quell'opre chiedere

L'alma pur osa un fiore,

Che cinto di splendore

Fulga non solo in Ciel.

Chiede la donna: e simbolo

Dell'astro peregrino

Cui non è inciampo a splendido

Eterno suo cammino,

Quel forte amor che libero

Segue la sua corrente,

E concitato, ardente,

Tramonta nell'avel!...

Così... Così... fatidico

E peregrino fiore,

Ricinto da un'aureola

Di luce e di splendore

Siccome una fantastica

Vision ti vidi un dì,

E tra la polve rapida

In un sol cocchio avvolta

All'occhio, intento ed ansio

Tosto ti fosti tolta

Nel mentre che l'indomito

Corsier con mano ardita

Via tu slanciavi esilare

Lasciando in cor scolpita

Quella fuggente immagine

Quel volto, quel corsier,

Che turbinando fervono

Nel trepido pensier.

Oh!... ben n'hai donde!... pasciti

Nella fuggente ebrezza

Che dell'instabil alito

La fronte t'accarezza,

Nelle svariate immagini

Onde la vita ride,

Nella splendente porpora

Ove il piacer s'asside

Qual Areonauta intrepido

In mezzo all'oceàn

T'avvolgi!... i dì che furono

Più non ritorneran!...

A te d'accanto un angelo

Sugge col tuo sorriso,

Quell'incantevol estasi

Onde le sia indiviso

Dolce e gentil preludio

Non misto da un sospir,

I più ridenti e ingenui

Sogni dell'avvenir.

Che se una melanconica

Ora alcun dì t'assale;

Ora funesta, indubbia,

Di questa via mortale,

Dalle sue labbra pallide

Del tuo pallor, la dolce

Suggi armonia festevole

Ch'ogni tormento molce,

Quell'amorosa e tenera

Voce ond'ha invidia il pianto

E caro anco è il dolor,

Quando a chi soffre accanto

È d'una figlia il cor.

Castellano, Agosto 1863

MEZZANOTTE IN CARCERE

Muta è l'angusta carcere

O se rompe un accento,

Quel suo silenzio lugubre,

È il suono d'un lamento

Che tra convulsi fremiti

L'anima scioglie anela,

E a chi l'ascolta svela

I palpiti del cor.

Vinto da crudi spasimi

Sul duro suo giaciglio,

Dopo una lotta orribile

Chiude il prigione il ciglio,

Assonna; ma che?... l'anima

Trovar non può riposo,

E nel futuro ascoso

Spazia la mente ognor.

Alza la testa squallida

Dal nudo suo guanciale,

Tocca la fronte madida

A quel pensier fatale,

S'aggita, i lumi figgere

Cerca nel bujo e scruta

Fra quella tomba muta

In fra quel cupo orror.

Ecco a ogni tratto il stridolo

Batter d'una campana,

Fra quelle volte lugubri

Ove la speme è vana,

In mesto suon stendendosi

Eccheggia e il prolungato

Allarme del soldato

Coglie l'orecchio e va.

Allo scoccar del tremolo

Chiaror d'un fioco lume,

Spazia la mente rapida

Sulle deserte piume

E ai gaudj che fuggirono

Come un fatal deliro,

Scioglie un veemente spiro

E trepidante sta.

Scorge il sembiante pallido

Di chi a lui presso geme,

Che ad una triste immagine

Un grido scioglie e freme,

Poscia un sospiro debile

Tal che la muta scena

Sembra turbare appena

La vita chè ivi muor!...

Quella silente tenebra,

S'allegra mai d'un riso!...

Presso le rozze coltrici

Stassi un fantasma assiso

Che truce, inesorabile...

Del suo sogghigno insulta

La vittima che inulta

Cadrà sotto il dolor.

Dalla Giudecca, Luglio 1861.

All'Egregia Attrice
ANTONIETTA SIVORI

In mille care visïoni immerso

Vagava il mio pensiero,

E d'un dolce sorriso al guardo altiero

Vestiasi l'universo.

Dell'argenteo suo raggio l'errabonda

Dell'ombre amica fea ghirlanda a questa

Terra fiorente, e in armonioso accordo

Sussuravan le fronde. Era l'incanto

D'una notte sublime, in cui la mente

S'abbandona a suoi sogni e non gli mente

L'intimo senso che a quei posa accanto.

Sfavillavano gli astri, onde s'ingemma

L'eterea volta inusitata luce,

Ed era all'occhio duce

Un serto adamantino, onde piovea

Di tremole scintille un largo getto

E sovra quel scrivea

L'angelo della gloria un luminoso

Nome, che in fiammeggianti

Cifre fulgeva all'ansio sguardo innanti.

Lo viddero dall'Eden le dilette

Figliuole delle Muse onde splendette

L'Itala terra e d'un amico amplesso

Salutaro quel nome;

Dei più leggiadri fiori, onde s'addorna

Il beato soggiorno, una corona

Intrecciarono unite

E liete per le curve iri del cielo

Sino a te si calaro, sul tuo capo

Giovin così quel serto componendo,

Onde ardita una meta, al guardo anelo

Di te degna accennaron o ANTONIETTA!

Il lauro a coglier che a tuoi merti spetta.

Mantova, Novembre 1863

A MIO PADRE

ODE

Del suo balen settemplice

Folgoreggiante e altero

D'onde di luce esilara

Coprendo l'orbe intero

Oggi nel cielo sorgere

Altri vedrà quel sole

Che l'egro cor console

Ma più per te, non è.

Aimè!... che nell'espandere

Affanno sì precoce

Sento nel petto un fremito

Ed una sola voce

Emetteria dall'animo

Scosso al membrar tremendo

La man maledicendo

Che si gravò su tè.

Alle tue notti vigili

All'indefesso studio,

Qual susseguia tuoi triboli

Non funebre preludio?

Quale ti diero gli uomini

Premio ben meritato?...

Che riserbava il fato

A tuoi cadenti dì?...

Ma se nell'ampio Pelago

Qual naufrago perduto

Fra l'onde dell'Oceano

Dal vento combattuto,

Del duol l'aspetto lugubre

Gigante all'uom s'affaccia

Perché la gioja tacia

Che fulse e poi sparì.

Tra le lontane immagini

Di più ridente vita,

Oltre il tramonto squallido

Di quell'età fuggita

Oltre il poter degli uomini

Un'altra meta sorge

E nel futur si scorge

Un più sereno albor.

Sì; non inceppi l'anima

Quest'infamata terra,

Ove risuona il gemito

Di fratricida guerra,

Dove l'esosa smania

Soffoca il nobil senso,

Ove si porge incenso

Soltanto per tradir!

Ove dall'egoistiche

Fauci, la fiamma atroce,

Esce, e sperde coll'alito

Ogni pietosa voce,

Perché il creato lagrimi,

Perché l'oppresso frema

E l'oppressor nol' tema

Che tanto il fè languir,

Desto dal sonno angelico

Primo d'amore accento,

Inconscio a me del viver

L'affanno ed il contento,

Dolce era al labbro emettere

Di padre il nome amato

E mi vedea sacrato

Un palpito sincer.

Fu l'avvenire un libero

Trasporto della mente,

Tinto di liete immagini

Io lo scorgea fidente

Quando una madre tenera

Calmava il pianto mio

E m'insegnava un Dio,

Scopo de' miei pensier.

Quando da man che tremula

Rendeva con puro affetto,

Dall'ava con un fremito

Presso vedeami al petto,

E tu, felice, immobile

Guardavi quella scena

Che può ridire appena

Il labbro schiavo al cor.

Allor che teco, leggere

Soleva sulla sera,

E da tre voci unanimi

Aveva una preghiera

Il ciel per me, che limite

Era a infrenate spemi,

A quei desir supremi

Svolti da un santo amor!...

Sogni essi furo: e rapido

Si svolse il fatuo manto,

I bei fantasmi sparvero

Che vi sedeano accanto.

Tolto alla vita, a gemere

D'un carcere fra le mura

Opra di rea sventura

Col tocco mi cacciò.

Non più il materno palpito

Del padre più il conforto,

De' ceppi il cupo stridere

Ne' miei pensieri assorto,

Rompe la calma funebre

De' miei silenti giorni

Sin che l'aurora torni

Che a me il destin segnò.

Sol, fra impotenti smanie,

Fra tacite pareti,

Che testimoni furono

Di gemiti segreti,

Ch'altri non più conoscere

Oltre a quei ch'ivi langue,

Che a lagrime di sangue

L'angoscie terminò.

Ma sta per sorger l'iride

Nunzia a me alfin di pace,

Dopo scomparso il turbine

Tutto il passato tace,

Un giorno di letizia

Ogni dolor disperde,

Quando che il suol riverde

Scordato il verno è già.

Sì; giungerà quell'apice

A che il pensiero anela,

De' mali non può esistere

Eterna la sequela,

Nomi non son chimerici.

Iddio!... l'onor, la fede!...

S'or niun di questi ha sede

Forse che un dì l'avrà.

Dalla Giudecca, il giorno in cui mi fu annunciata la cecità di mio padre.

MARIA

BALLATA

Cupo è il cielo e lento lento

Qual di gemito una nota,

Sulle lievi ali del vento

Si propaga pel Castel.

Sovra i cardini stridente

Una porta si spalanca

E un fantasima repente

Sulla soglia si ristà.

Ivi tutto intorno tace,

E la quiete sepolcrale

Rompe solo col fuggace

Batter d'ala il vipistrel.

D'improvviso, un abbaliante

Viva luce, si diffonde,

E l'ingenuo sembiante

Che copriva un bianco vel

Mostra bello, una fanciulla

Che fantasima non è,

Mentre un nome sussurrando

Un garzon gli cade al piè.

Angelo mio non piangere
Le dice il cavaliero,
Sorge per la mia patria
Di gloria un dì foriero,
La vita ch'essa diedemi
Ad essa deggio offrir.
Saria delitto il tenero
Trasporto dell'amore,
Quando i fratelli pugnano
Coll'entusiasmo in core,
Quando per la sua patria
Concesso è di morir.

Porse Maria, la sua gota ardente
Al casto bacio che sfiorolle il viso
Lo strinse al petto e nel bollor fervente
La lagrima mescendo col sorriso,
Compi le disse il tuo dovere, o caro,
E de' suoi doni il ciel non siati avaro.
Disse... Ma all'ansia del commosso detto
Tutta traspare quell'atroce guerra,
Tutto l'amore che le ferve in petto,
Come non puossi amar, due volte in terra,
E come senta che pel suol natìo
Il palpito primier creava Iddio!...

Infelice!... Il lontano ruggito

Ben intese dell'onde cozzanti

Quando il legno dal guardo rapito

Nei deserti perdeasi del mar.

E dall'aura ripeter un nome

Pur udì, quando il santo vessillo

Che l'ostili baldanze ebbe dome

Vide altiero per l'aura ondeggiar.

Ma allorquando al rieduto soldato

Ella chiese di lui trepidante,

Vide il ciglio di pianto bagnato

E il silenzio risposegli sol.

Il raggio pallido

Mostra la luna,

Per l'ampio spazio

Che lento imbruna

E sovra un tumulo

Di fior coperto

Posa l'argenteo

Amico serto,

Là dove termina

La gioja e il duol.

D'un nome è adorna la funerea pietra

E di baci la copre una donzella,

Pallida in viso, che?... dal cielo impetra

Or che tutto la morte gli rapì?

Forse il coraggio che l'affanno avanza?...

Forse l'obblio dei vagheggiati dì?

Oh, quando il fremito d'un primo amore

Nella sua vergine possa, destato,

Divora l'anima, serpeggia il core,

Che può la sterile parola: obblio?...

Pregò, gemette, ma un dì sorrise;

Or più non piange; chiamolla Iddio!...

Milano 1862.

Al giovinetto
VIRGINIO DONZELLI

Giovine fior, che ingenuo

Al gajo tuo sorriso,

Schiudi le labbra e al vergine

Sogno ti raggia il viso

Di quel fidente palpito

Ond'è compreso il cor.

Deh, possi mai comprendere

Che sia codesta vita,

Ove l'uom soffre, lagrima,

Chiede e non trova aita,

Ove ha una gioja povera

Succede, atro il dolor.

Non ti scorar, di triboli

Conteste è ver, ma dolce

Pur ha un soave balsamo

Ch'ogni tormento molce

Chi d'una madre al tenero

Bacio si desta al dì.

Oh, su quel sen concentrasi

Tutta del cor la piena,

E per te sol vivida

Sua prece più serena,

Per te il futuro arridegli,

Con te pianse, e gioj.

Mantova, Settembre 1863.

LA RISURREZIONE

INNO

Or che de' bronzi l'oscillante suono

Per l'aer lieto s'estende,

A lui la mente elevi

Chi un'alta voce intende,

E sciolga il labbro una fervente prece

A chi con cruda vece

Ma grande! ognor levossi e la parola

D'una sublime idea propagatrice

Bandì, rompendo il patto

Che l'empietade avea tra oppresso e forte

Empio baluardo alzato

E volontaria vittima il suo sangue

Die' pel comun riscatto.

A quanti sull'infanda ara, scontaro

La santa fede di quel santo patto,

La preghiera è tributo,

Che con lui s'immolaro

Nuovo suggello d'un invan fra il fango

Vilipeso diritto,

E dal pianto comun, colpa-segnato,

Ebber l'omaggio estremo ed il saluto.

Sì preghiamo, preghiamo, ed il passato

Coll'ora ricongiunto,

Altera ne balena una festante

Speme allo sguardo innante.

Nel sorriso seren delle modeste

Vergini, al canto che solenne echeggi

Del tempio fra le volte,

Dei cerei allo splendore,

In fra le dolci e meste

Sacre armonie del core,

Si saluti o fedeli il memorando

Giorno, e dell'aer negli eterei spazj

Diffondasi il concento,

Al trono dell'Eterno trasportando

Il comun voto e segni

L'aurora onde confine abbia il lamento.

Mantova, 1863.

ADELIA

NOVELLA

Comune storia ma pur troppo vera

A voi fanciulle io narro...

Levasi il sole, e versa sulla terra

I rai cocenti di che tutti investe

I rigogliosi parti di natura,

E nelle quete acque riflesso oscilla

Onde Mantua recinse opra non sua.

Un prolungato di sacri bronzi

Si distende frattanto ed alla chiesa

Di Cittadini invita un vago stuolo.

Lieta e gentil d'ingenuo sembiante

Giovin ventenne della madre al braccio

Sorretta pur vi move, e dalla via

Ond'ei mettono assorta nel tiranno

Spazïar della mente innamorata

Onde lampeggia un cielo all'ansie luci

Giunge un garzon. Di bell'aspetto, dolce

Ha lo sguardo che a sè d'intorno gira

E par cercando tra la folla alcuno

Mova dubbioso il piè. S'incontra d'ambo

L'eloquente raggiar della pupilla

Che l'arcano del cor sovra le labbra

Trasmette in un sorriso in che compresi

Son del giovin pensier gl'impeti ardenti

Onde dal nulla un'evocata larva

Sorge di gioja, oscilla un raggio e muore.

Tenero fior che sulla sfavillante

Aurora della vita s'abbandona

Alle dolci chimere, onde si pinge

D'iridi belle l'avvenir, traeva

Adelia il riso de' suoi vergini anni...

Adornava il bel volto il dolce incanto

D'una mestizia che rivela al guardo

Il pio raccoglimento del pensiero.

Nereggia il crin sotto il modesto velo

Che gli scende sugli omeri ondeggiante,

E quando al bacio della vecchia madre

Porgea le gote in dolce atto d'amore,

Chiamava sulla sua giovine fronte

A larga mano dell'Eterno i beni.

Bello è il riso degli astri, e allor che splende

La compagna dell'ombre, e l'armonia

Del creato sfavilla, a me discende

Dolce nell'alma una speranza pia.

Caro è l'amplesso d'una madre, e santa

La parola che al cor parla la fede;

Ma tutto tace se dal duolo affranta.

Ebra d'amor, non ha d'amor mercede,

L'alma che solo in sè sente la vita

Nel delirio gentil con te rapita

Come del masso è l'edera compagna,

Come al ceppo la fronda, ed alla riva

Del fiume l'onda che in suo gir la bagna;

Indiviso al sorriso che l'avviva

E il trepido sospiro onde festante

Le balena una gioja altiera innante.

Sol io deserto ricercando vado

Un cor che al grido del mio cor risponda,

E d'una cara illusion suado

L'alma d'amor digiuna e sitibonda.

In una dolce calma riposava

La notte, allor che il modulato suono

Della mesta canzon si distendeva,

Sovra i vanni dell'aere; n'eran le note

A un sospiro simile, ed un sospiro

Parean domandar, ecco diletta.

Un verone s'aperse, e il lungo sguardo

Della fanciulla dentro le tenêbre

Della sopposta via, ansio si spinse.

Nulla s'udì... tutto taceva intorno

Fuorché il febbrile palpito d'un core,

Che d'un passo la lenta eco lontana

Indovinò... Poi tutto fé ritorno

Nella quiete primiera, Adelia sola

Già ratta si sentia fuggir la calma

Dentro il seno pudico, e concitati

Sogni sul suo guancial ferver confusi,

Era una sera; l'uno all'altra appresso

Stavansi lieti mentre un'aura lene

I neri crini ondeggiava lasciati

Sugli omeri cader in abbandono

E al loro orecchio sussurar parea

Voce d'amor che comprendean soll'essi,

Porgeale Paolo di gentil trappunto

Pegno della sua fe candido velo,

Ed intrecciato il manco braccio al bianco

Collo della fanciulla in sulla fronte

Un bacio ardente impresse... ammutolito

Tacque il labbro... d'un sguardo si fissaro

Indeffinito, onde compreso un mondo

Era d'incanti... il cor stretto sul core

Palpitò d'un sol palpito; la mente,

Nel turbinoso fremito del gaudio,

Dimenticò la terra, e insiem confuso

Il respiro al respir, nel dolce amplesso

Che catena indivisa tutti stringe

L'opre sublimi dell'Eterno spiro,

S'inebbriar così che ratto troppo

Al senso della vita ridestolli

Della vita il respir, a deplorare

Che in quell'abbraccio avvinti non si fosse

Dischiuso il cielo all'anime festanti.

Oh, ineffabili, dolci rapimenti

Che irradiate d'un rapido baleno

I fuggitivi istanti, onde si tesse

Fatuo così dell'esistenza il nodo,

Perché mai, vi frappose uman capriccio

Un fantasma di ghiaccio, una parola

Che millantata ognora a fior di labbro

A pochi siede in cor, larva gigante

Onde s'impone altrui e si conculca?...

Paolo... le disse un dì la giovinetta

Mollemente posando il fulvo crine

Sovra il seno di lui... nell'abbandono

Fiducioso del cor, che trepidante

All'evocate larve onde si mesce

La fede e il dubbio nell'irrequieto

Agone del pensier, contro sè stesso

Scudo si fa di nobili menzogne.

Paolo tu m'ami?... non è vero?... m'ami?...

Me 'l dice il core ed allorquando sola

Seguo i bei sogni della mente, lieto

Ti vego unir la mia colla tua destra

Mentre all'altar ne benedice Iddio...

Oh Paolo, tu non sai, seguì la grama,

Con qual'ebrezza, con qual forza io t'ami...

A me dolce è il dolor, persino il pianto

A sagrificio susseguito e parmi

Che più grande mi senta nel mio amore

Dacché tutto a te offersi, e la mia vita,

Innocenza, avvenir, tutto confusi

In un amplesso, a piedi tuoi deposi

Quanto di caro avea. Te solo resi

Arbitro tu del mio destino, o mio

Paolo... fra poco... e lo sguardo smarrito

Sovra di lui figgeva soffocando

Un detto pur che traboccante uscia

Dall'alma vinta da un terrore arcano.

Madre sarò... proruppe alfine, e belle

Le gote di rossor soffuse, e calde

Della lagrima ancor che il ciglio elice,

Offerse al bacio che dovea compenso

Al continuo alternar di tante pene

Cara promessa, suggellar quel patto.

Mute furo le labbra, freddo il ciglio

Nella pupilla delirante ei fisse

Della tradita... Inerti le sue braccia

Accolser la fanciulla... Ella che il giuro

Or mentito d'amor primo ebbe accolto

Nel troppo facil, troppo ingenuo core...

Che trasognata lo guardò; convulso

Dal petto un grido emise, alzò le belle

Sue luci al ciel la forza domandando

Che sentiasi mancar, sulle sue labbra

Col sospiro morì, l'ultimo addio

Alle sue spente illusïoni... e svenne.

Il funebre rintocco d'una squilla

Vaga solenne, e nota di lamento

Chiama il pensier sulle caduche gioje

Che d'un riso riveston l'esistenza.

Nel suo pallore ancor leggiadra e bella,

Nella sua calma rassegnata, Adelia

Curva dal duol la fronte, eppur serena

Nella coscienza, di sè stessa, attende

L'ora ferale che gli aleggia intorno:

Tutto è silenzio... e solo il soffocato

Singulto della pia madre che veglia

Al capezzal della giacente, turba

La quïete solenne; il moribondo

Sguardo raccolse la fanciulla, e porta

La scarna destra al bacio dell'afflitta,

Madre, le disse... ancor non venne? e bello

Del pensiero di lui anco un sorriso

Dentro il ciglio gli errò... non fé risposta

La madre, e sì che pur vorria d'un dolce

Detto la figlia confortar... Comprese

Il suo pensiero l'infelice... E mesta

Il capo abbandonò sovra il guanciale,

I tardi lumi volse a quel verone

Da cui la prima nota l'alma accolse

Di quel canto d'amor... poi si raccolse

Nelle tristi memorie del passato,

E all'avvenir sorrise, all'avvenire

Che gli offriva il riposo della tomba,

E sol di lei gli increbbe, che deserta

A lagrimarla si starà... Sorgeva

Il sole del doman; sovra la zolla

Di fresco smossa inginocchiata e muta

Una donna pregava...

All'abbaliante

Sfavillar dei doppieri, tra una turba

Gavazzante ond'avea vile corona

Dell'applauso comun, l'opra impudente

Che si compie fra il riso, e larga messe

Di vittime trascina, fra quei gorghi

Che all'inesperto piè vile dischiude

La mano istessa che di mille giuri

Doman mentiti, insulta l'innocenza,

Paolo sedea, stringendo un'altra destra

Che di venduti baci il concambiava

Al spumiggiar dei nappi, onde il rimorso

Avea tomba col lento ottenebrarsi

Della ragion, di sè baldo e vigliacco.

Mantova, 1863.

IL PROSCRITTO

Già gl'infuocati radii

L'astro nel mar nasconde,

Pinge fugente un iride

Sul suol, per l'aer, nell'onde,

Strappando un vale all'anima,

Poscia scompare e muor.

Muore: e la cupa tenebre

Ch'è della vita immago,

Nella sua calma funebre,

Sinistro all'uom presago,

Succede a quel che sorgere

Dovrà domani ancor.

Ma pari a lui non passano

I brevi gaudj e i mali,

Che sulla fronte incidono

I marchi lor fatali,

Ed il vagito tremulo,

Che sulle labbra suona

Del bambinel che timido

La prima prece intuona,

Voce è forriera a un strazio

Che non avrà confin!

Come il ruggir del turbine,

Nunzio di morte è solo,

E lo scrosciar del fulmine

Apporta strage e duolo,

Così un fantasma lugubre

La bieca faccia avanza

E beffeggiando l'esile

Spirto di sua costanza,

Tuona di morte un gemito

Ad ei che nasce; o ha fin.

Chi è mai quegli che lento e pensoso

Move in ver quella piaggia romita?...

Gli sfavilla sul fronte la vita,

Pur sul ciglio una lagrima sta.

Perché rota a sè intorno smarrite

L'ansie luci?... qual cerchi uno sguardo

Che ad un duol non risponda beffardo,

Che gli ferve protondo nel cor?...

A lui bella sorride l'etade

Nel fulgor della prima speranza,

Forse un giuro d'eterna costanza

Avean sciolto que' labbri, e d'amor:

Forse molle la pallida guancia

Della madre ad un bacio pietoso,

Ei la porse all'amplesso desioso

Della donna che amica chiamò!...

Perché giunto d'appresso alla sponda

Guata fiero quell'onda rapace

Che l'invita alla funebre pace

Che si mostra al di là dell'avel?...

Tutto è muto: Il sussurro dell'aura

Tra le frondi del pioppo vicino,

Non eccheggia nel cor del meschino

Se non come una nota di duol.

Tutto parlagli un lugubre addio!...

Tutto geme del gemito istesso,

Ha un accento di pianto per esso,

Anco il canto del mesto usignuol.

Solo fremegli, arcana, profonda

La condanna che in fronte gli ha scritto,

Come un'eco che al gemer risponda,

Sei proscritto!... proscritto!... proscritto!...

Qual se copre il sereno tramonto

D'un bel giorno d'estate, foriera

Di procella atra nube; severa

Quella fronte abbujossi così.

Turbinar quai fantasmi giganti

Negri spirti dall'alma evocati,

Si vedeano i pensieri incitati

Che di lui fean agone crudel,

E siccome nel rombo del tuono,

Nel sanguigno serpeggio dei lampi

La natura del nulla nei campi

Sfoga i torbidi ludi talor,

Nell'ardente saettar dello sguardo,

Del suo cor la tempesta irrompeva

Fiera sì, che a qualcuno... chiedeva

Il perché di quel tanto soffrir!...

Pur nessun gli rispose: Egli bieco,

Torvo il ciglio dal suolo levò,

Fremè il labbro interrotto un accento;

Fu bestemmia?... fu prece?... nol sò...

Cupo in un truce mescersi

Di mille idee ferali

Ei si dibatte, s'agita

Nelle pression fatali;

Spera, e persin quel debole

Soffio che l'alma anela,

Disperdesi, e si svela

Senza un sorriso il dì.

A un orizzonte figgere

Cerca le luci intente,

Che trae dal core un palpito,

Quando il destin repente

Rompe, distrugge, svincola,

Quanto era solo raggio,

Sol fonte di coraggio,

Luce... che pur svanì!...

Svanì!.., e dall'alto vertice

A che volò il pensiero,

Piomba nella voragine

Del suo dolor primiero,

Un fato inesorabile

Porta con sè la calma,

Che s'ingenì nell'alma,

E il disingan seguì.

Ma pur del tempo

Sulle veloci

Ali, che il gaudio

Mesce e il dolor,

Rapida come

La folgor scende

L'ora al proscritto

Pregata ognor...

Gli abbracci scambiansi

Tra figlio e padre,

Gli amplessi teneri

Tra suora e madre,

Li preme al seno,

Che di veleno

Rigonfio sentesi,

Lagrima, e sta!

Lagrima, e l'anima

Vinta dall'ira

Freme, dibattesi,

Rugge, sospira,

Scioglie un anelito,

Impreca!... e va!...

E sulla tremula

Onda che regge

Il fragil legno

Che seco il porta,

Presso l'antenna

Che lo soregge,

China la fronte

Dal duolo smorta.

Guarda gli amici

Che da lontano

La fida innalzano

Tremula mano,

Vede discinta

Le nere chiome

Bella una donna

Chiamarlo a nome,

E sovra l'onda

Che calma posa

Si perde il grido

Della pietosa,

Poi scarmigliata

Lungo la riva,

Cader la vede

Di sensi priva;

La sente ancora

Con flebil voce,

Chiamarlo ancora,

E nell'atroce

Urto crudele

Di tanti affetti

Convulsi fremono

Sul labbro i detti,

E una bestemmia

Terribil!... fiera!...

Commuta il gemito

D'una preghiera!...

Ma sono sgherri

Quei ch'egli ha appresso!...

Dio sta coi forti...

Lo irride anch'esso!...

E spare intanto

D'innanzi al ciglio

La cara terra

Dove era figlio!...

Dove sentiva

Da un labbro amato

Il dolce tocco

Che il fea beato!...

Dove festante

Suggè la piena

Di quella vita

Compresa appena!...

L'ultimo tetto

D'un casolare

Sparì nell'ampio

Spazio del mare,

Più nulla vidde...

Sulla sua testa

Grave era il cielo

Sol di tempesta;

Sotto i suoi piedi

Muggiva l'onda,

Cerula, fredda,

Cupa, profonda,

E dir sembrava

Al derelitto...

Sol nella tomba

Pace ha il proscritto!...

Milano 1864.

REMINISCENZE E DOLORI

A te donna che sai. ALEARDI

I.

Dimmi!... la stessa che a me prima volse

Le belle luci, e balenommi pria

Un immago di ciel, alla fremente

Anima, altiera del gentil sorriso,

Dimmi?... eri tu?... Tale un pensier rivolsi

Nel cozzo vorticoso degli affetti

Che in cor mi sussultavan, mille volte

A me stesso, e chinai meditabondo

La fronte al suol, che nel fatale arcano

Onde il palpito suo, misura il core

Smarrii confuso...

II.

Ti sovvenni i dolci

Ricordi del passato, le sue larve

Turbinose, febbrili, ed evocai

Gli inebbrianti aneliti, ma invano!...

Siccome l'alitar della fugente

Brezza che lambe, l'onda queta e appena

L'increspa; tali ti passar sul core

Arido e freddo.

III.

Eppur mi amasti!... e anch'io

T'amai!... di quell'amor che non credea

Sperdeste ratto sì, l'ala del tempo;

E allor che nel solingo del pensiero

Errar fidente, l'ansïe pupille

Tendea nel firmamento, e sulle curve

Iri del ciel tracciava i cari sogni

Onde d'inganni mi tessea la vita,

Nell'eterno suo riso mi fulgea,

Indefinito e sereno l'avvenire!...

IV

Maria, sovvienti! Baldanzoso allora

Io vagheggiava l'esistenza, e quando

D'una quatrenne notte, il cupo manto

Alla vita mi tolse, e da te lungi

La parola d'amor, che sospirata

Che serrata nel cor, mai non s'espanse

Dalle labbra desiose, mi fremeva

Ardente dentro l'anima agitata

Da troppo crude emozïoni, al nome

Della mia patria!... il tuo pur collegai,

E un palpito ebber sacro le primiere

Sublime aspirazioni della vita

Onde congiunti ebbi due affetti... cui...

Frutto... Oh frutto ben triste!... ebber, e larga

Messe d'affanni!... Nelle insonni notti

Pia vision mi scendesti!... ed al tranquillo

Raggio che riflettea dalle ferrate

Sbarre della prigion sul mio guanciale

La luna, o sulla lucida catena

Ond'avvinto era il piè, che nell'amplesso

Sol chiedea volar delle tue braccie,

Affidava un saluto, onde pietosa

Nel coronar la tua leggiadra chioma

Tra gli ombrosi passeggi del natale

Mio suolo, per me ti concambiasse

Il bacio mio!

V

Fra le tenêbre alfine

Di quella tetra notte a me foriera

D'una gioja insperata, perché troppo

Sperata col delirio della mente,

Sorse l'aurora d'altri dì, e col pianto

La salutai che mi venia convulso

Sovra le ciglia attonite, smarrite

Quasi, all'idea abbalïante; e come

L'augello che sfuggì le ingannatrici

Pannìe del cacciator, incerto ancora

Dell'esser suo, tal'io dall'anelante

Petto sentii pulsar la vita, ed ebra

L'alma slanciossi incontro alle ridenti

Fatidiche chimere onde si piacque

Una sfolgoreggiante iride bella

Alternar colle immagini ferali

Che l'astringevan del lor cupo cerchio,

Ed il bene primero, la più cara,

La più eletta di tutte le corone

Che intesser puote l'esistenza!... chiesi

Coll'abbandono ond'è capace un core,

Che nella pïa illusïon raccolto

Stette lung'anni d'un pensiero, ed ebbe

Un unico sospir!... Chiesi, l'amore!...

VI.

A te Maria lo chiesi!... a te che bella

Della prima beltà rinvenni, e s'anco

D'altri in braccio, giurando non amarti

Amai!... e nel tremendo agon della coscienza

Vinsi frangendo a brani questo core,

Che tu forse schernisti, ed incompreso

Passai, perché non volli quella fronte

A me cara così, baciar coperta

Del rossor della colpa!...

VII.

Oh ti rammenta!...

Ti rammenta quei dì quando seduti

L'uno all'altro d'accanto, muti, fissi,

Ci guardavam nell'estasi rapiti

Del nostro amore, e sussultava il core

Palpiti ardenti, e la tua destra stretta

Dalla mia, tremava, e il nostro petto,

Presso insieme schiudevaci raggiante

Il Paradiso!... Oh in quell'istante fosse

Benvenuta la morte... era pur dolce...

Spirar in quell'amplesso! e colle pure

Vibrazioni del cor, spender l'estremo

Alito della vita!...

VIII.

Oh, allor ci amammo!...

Un lugubre fantasma è ver, sorgeva

Nel trasporto talor del concambiato

Bacio sì caro, e del dover la voce,

Fredda, cupa, s'univa a quelle dolci

Note... ma pur noi ci amavamo, e tutto

Spariva a noi d'inanzi!... ed eran belli

Quei fuggitivi aneliti rapiti

Alla sorte che ne volle divisi!...

Maria!... dovea fuggirti!... ma era scritto

Ch'io t'amassi, perché sentissi il peso

D'una colpa non mia!.. non nostra! - Oh dite

Che l'augello non parli alla compagna

Il gorgheggio armonioso del suo cuore,

Che il fiore al fiore non olezzi unito!...

Che il ruscello non mormori, che l'aura

Non aliti e si baci... e non sospiri

D'amore quanto ha vita... e poi la voce

Dell'uom che apponga sul suo cor la destra,

Segni colpa, quel fremito febrile

Che trascina con se, ne dice il dove!...

Milano, Gennajo 1864.

Milton Keynes UK
Ingram Content Group UK Ltd.
UKHW050628301023
431584UK00009B/501

9 791041 970 9